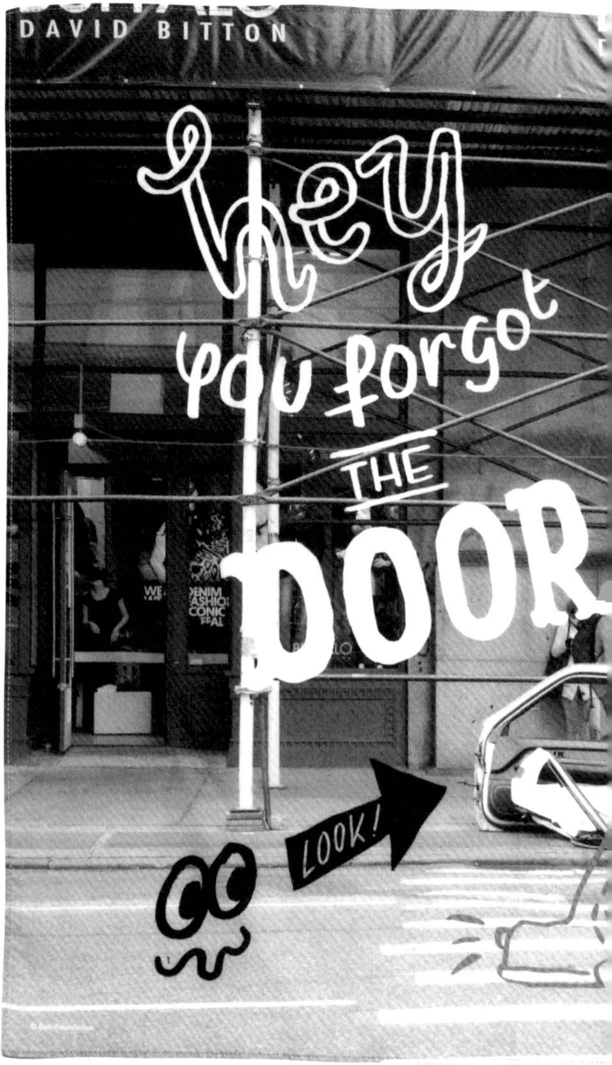

DAVID BITTON
hey
you forgot
THE
DOOR
LOOK!

Mini museum theatre / 2019 / acrylic color on paper

Curry noodle riceball / 2019 / curry noodle, rice and seaweed

Bento box riceball / 2019 / bento, rice and seaweed

Together (COMME des GARÇON Guerilla Store in Hong Kong) /
2006 / stickers on paper

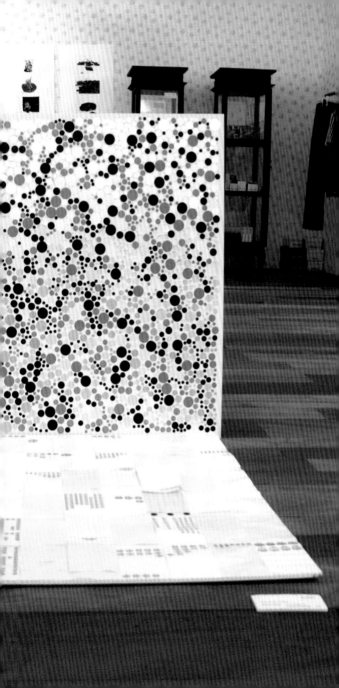

The good looking box / 2019 / acrylic color, spray on tissue box

Robert (jewelry and coat hanger) / 2005 / MDF

leave me alone / 2010 / silkscreen on paper

no more chocolate / 2010 / silkscreen on paper

New year stickers / 2008 / spray on sticker

WELCOME!

Have a break

BISCUITS

Knock knock! exhibition
(Kapok store in Hong Kong) / 2006

Wrap it! / 2019 / paper, car

DAILY BOB Gift wraps / 2006~

BOX BOX BOX exhibition (galerie doux dimanche in Tokyo) / 2009

THE
PIANO BLACK
BLOCKS

Piano Black Blocks / 2011 / Piano paint on wood blocks

Ribbon Washi /
2010 / Ribbon, washi paper

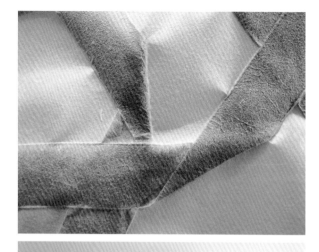

Why do you make art?
あなたたちは、なぜつくるのか？

Interview with
BOB FOUNDATION

「この本の制作をきっかけに
　再び作品づくりに向かいたくなった」

Bob Foundation（ボブファウンデーション）は朝倉充展、朝倉洋美
によるクリエイティブデザイングループ。グラフィックデザインに加
え、充展は映像やコンセプトワーク、洋美はイラストを主に担当。
その作品はイギリスのカルチャーやアートの影響を感じさせる。仕
事以外でも各々の作品を制作し、プライベートでは夫婦であり親で
もある2人。彼らのこれまでの歩みや思考、子どもの遊びの延長の
ような物作りの背景から、創作の秘密を探ってみた。

—— Bob Foundationの軌跡は、2人がロンドンの芸術大学、セントラ
ル・セント・マーチンズ在学中に出会うところから始まります。その前
に、2人とも子どもの頃から何かを作るのが好きだったんでしょうか。

充展：僕は手を動かして何かを作るところではなく、思考から物作りの世
　　　界へ足を踏み入れた感じです。だから目覚めるのはちょっと遅くて、
　　　中学時代。試験勉強で夜更かししていたとき、偶然テレビで『パー
　　　マネント・バケーション』や『イージー・ライダー』、『ナイト・オブ・ザ・
　　　リビングデッド』などの映画を見て衝撃を受けたんです。オシャレで、
　　　しかも不条理でアンハッピーエンド。ヴィジュアルやストーリーにも影
　　　響を受けましたが、最後にヒーローが死ぬのを見て、頑張ってもこ
　　　んな風になるなら、好きなことをして生きていくのがいいなと思った
　　　のを覚えています。それからヴェンダースやジャームッシュ映画の撮
　　　影監督だったロビー・ミュラーに憧れて、高2のときにはもう映像の
　　　道に進むと決めて学校を探しました。それで日活の映画学校に入り、
　　　学校に通いながら働ける制度だったのでトータル3年の間、現場で
　　　揉まれながら少しずつ自分の作品を撮りためて。でも日本映画界の
　　　古い体質が見えてしまって、資金も貯まったから海外へ出たんです。

洋美：私は反対に王道なタイプで（笑）、子どもの頃から絵を描くのが好き。
　　　こんなに描くんだったら絵の教室に入れようと親が考えて、5歳から

通い始めました。小学生のときも絵を描いて、その絵をコピーして折り紙セットやレターセットを作って。もうその頃から裏側で何かを作る人にはなりたかったんじゃないかな。中学時代にグラフィックデザインというカテゴリーを知って、CDジャケットを作る人になりたいと思い始めます。毛色の変わった面白い先生のいるインディペンデントな美大予備校にも通いだし、その学校でたくさんのことを教わりました。ちょうどその頃、イギリスのグラフィック集団TOMATOにも憧れていました。高校1年で母と一緒に行ったロンドン旅行では、地下鉄マップとか公共サインの色の使い方とか、街の中のデザインがどれもカッコよくて夢中に。帰りたくなくて帰国の飛行機内でしょんぼりしていたら、ヒースロー空港を飛び立とうとするまさにそのとき、母から「留学すれば？」と言われたんですよ。それで、高校卒業してセント・マーチンズに入ったんです。好きなTOMATOのメンバーたちの出身校だったから。

充展：僕は最初、セント・マーチンズの存在を知らなかったんですよ（笑）。映像関係の学校に入るつもりでロンドンの語学学校に通っているとき、当時の遊び場だったコヴェントガーデンを歩いていたら、偶然アートスクールという看板が見えて、それで中に入って行ったら受け付けの人がパンフレットをくれたんです。それがセント・マーチンズとの出合いでした。

洋美：存在を知らないで来る人なんて、当時珍しかったと思う（笑）。

充展：びっくりだよね（笑）。最初はフィルムコースの定員がいっぱいだったから、何か物作りができるコースにしようと、ファウンデーションといういわゆる基礎コースに入学。そこは1年間ベーシックなアートを勉強するコースで、ビデオワークもできるし何でも学べるところでした。日本では大掛かりな現場で物語性のある映像の仕事をしてきたけど、そのときたとえばウォーホルのようなフィルムが撮れるならいいなと思ったんです。だから幅が広がりました。その1年はカメラを回して編集して発表してプレゼンして、ということをずっとやっていた気がします。僕らはビデオスケッチと呼んでいましたが、気になるものを撮って繋いだり切ったり音を入れて。1年で40本くらい撮ったんじゃな

いかな。基礎コースだから、何かを観察してレポートを書いたり、アーティストの背景について調べたり、そういうものの見方や論じ方のテクニックや、コンセプトの定義を解釈する方法などを学ぶ時間もあれば、素材をずっと切ったり貼ったりしていることもあって。そのすべてを僕は映像に落とし込んでいく日々でした。もうそのときには彼女と付き合っていましたが、その1年で帰国するつもりでいたから、かなり全力でやっていましたね。

洋美：私は1年間ファウンデーションコースに行った後、グラフィックデザインのコースに進みました。ファインアートに行くか悩んだんですが、先生から「ファインアートは絵を描いて、その後にテキストが連なっていてもいい。でもグラフィックはその一面だけで言いたいことを表すもの」って説明されて、じゃグラフィックがいいなと。

充展：僕は帰国しようと思っていたのに、両親からせっかくならやり切れば？と励まされて。翌年からファインアートのコースに進んで、結局合計4年で卒業しました。

――子どものやりたいことを優先させる両親だったんですね。

洋美：そうなんですけどね。英語教室をしていた母は、私がセント・マーチンズに合格して喜んでいたとき、「私も合格したわ～」と言うので、びっくりして問いただしたら、こっそりオックスフォード大学の語学留学試験を受けていたことが判明。

充展：その話、何度聞いても笑える……（笑）。

洋美：結果、兄は大学でハワイにおり、父と祖母を日本において母娘でイギリス留学ですよ（笑）。色々調整してたみたいですけど母の行動力、父の理解の深さに娘ながら感心します。

充展：そういえば僕は父から一度も大学へ行け、と言われたことはなかった。ま、兄がいたからかもしれませんが。

洋美：彼のお母さんはもともと竹の子族の衣装を作っていた人。ミツ（充展さん）がお腹にいたときにご両親は海外に移住しようとしていたくらいだしね。

充展：やりたいことをやらせてもらえた感じで、自由に育ったと思います。

洋美：私はよくある普通の家に育ったつもりでいたけれど、この留学の話からちょっと変わった家族なのかなと（笑）。

――卒業後、帰国してすぐBob Foundationを始めたんですか？

洋美：それはもう少し先の話。2001年6月に卒業した後はスウェーデンで遊んで帰国。しばらくしてからタイクーングラフィックスで働き始めました。楽しかったんですがものすごくハードワークで急性胃腸炎になってしまい、ほぼ試用期間で辞めることに。でもその後仕事をしていく上での出発点でありデザイン事務所の基礎をチラ見させてもらって、今でも感謝しているんですよ。

充展：僕はビザの関係でもう少しロンドンにいましたが、帰国後は知り合いに頼まれて、東京で海外の美大に入学したい学生のための予備校の講師をしていました。

洋美：ミツの実家からタイクーンへは地下鉄1本で行けるから、一緒に家に住まわせてもらっていました。

充展：そうそう。2002年のそのときにはもう2人で作品を作り始めていて、テキスタイルやバッグ、あと『プレイフルキッチン』とか。

左上：2000年の充展たちのショートフィルム制作現場。洋美やスティーブン・ギルも同行。左下：2001年、セントマーチンズのスタジオで卒業制作中の洋美。

洋美：『プレイフルキッチン』という本は最初、ロンドンで知り合った日本人の友達から、本の企画を出版社に持っていくための冊子を作ってくれない?と頼まれたもの。企画が面白かったからきちんとブックバインディングして持って行こう、となったんです。

充展：料理の写真とショートストーリーがついていて、それがレシピになっている。面白かったんですが、そのその頃はまだレシピ付きのエッセイ集というのが一般的じゃなくて、随分断られました。

洋美：最終的にプチグラパブリッシングが興味を示してくれましたが、このままでは難しいからと、パーティのおもてなし本にシフトして、エッセイは割愛。ホームパーティのレシピ本として出版しました。

充展：料理写真も僕たちが撮影して、デザインもして、今から考えたら、学生上がりのド素人がよくできたなと。

洋美：あの本は2005年発行だけど、2003年くらいから仕込んでいた気がする。Bobの名前が出版の世界で出たのはこれが最初。

充展：結成は2002年だけど、Bobって名前を作るのは早かったよね。誰かの名前がいいという話で。

洋美：その後ろに何を付けるかを考えて、Bob designはロンドンに、Bob filmはスウェーデンにすでにあったから、ファンダメンタルにいろいろなことをやる人たち、というので、Bob Foundationに。

――その頃には仕事も2人でやって行くことになっていたんでしょうか。

洋美：結局、在学中から作品を作っていて「こうしたら良くない?」と話し合っているうちに、自然と一緒にやることになって今に至っている感

じなんですよ。やっていることも、仕事というよりもとにかく作りたい気持ちがすべてだったし。「これ、面白いじゃん！」って2人で盛り上がって作る。それが15年くらい続いている感じでした。当時は実家に住んでいたからありがたいことに家賃は問題ないし、毎年必ず約1ヶ月海外に行っていたし。いろいろ作っていたら、それを見た人から仕事をもらうという、とても恵まれた環境だったと思う。

充展：初めて作ってみたテキスタイルも、50m作っちゃったけど売れたらラッキーくらいの気持ちでした。すると、インテリアや雑貨のショップから扱いたいと依頼を受けたり、他の北欧のインテリア展から誘われたりし始めて。

洋美：でも対外的にちゃんとBob Foundationの名前を出したのは、2004年の「TOKYOSTYLE in Stockholm」という、東京のデザインをストックホルムで発表するイベントが最初。そこでは"コミュニケーション"というテーマでインスタレーションを展示しました。その年に日暮里の駄菓子屋街が再開発で無くなることへのオマージュで、日本の夜店によくある糸引きくじの巨大なものを作って、駄菓子をスウェーデンの人たちにあげる、という作品でした。

充展：僕はスタジオベースと呼んでいるんですが、たとえば街を歩いていて

左上：2005年『プレイフルキッチン——ホームパーティーレシピブック』（森田美樹との共著）。上：2004年に2人で参加したデザインイベント「TOKYOSTYLE in Stockholm」。東京でのスウェーデンのイベントに参加したつながりで、作品を展示した。

駄菓子屋の問屋街がなくなるとか、こんな素材があった、という見た
もの触れたものをスタジオで持ち寄る。それがだんだん合わさったり、
別な方向へ進んだり、隠れたままのものもあるけれど、そこから何か
アイデアのようなものが生まれてくる。話し合いもしますが、そのもっ
と前の段階、日頃の何気ない会話から始まっている気がしますね。

——今、Bobの作風としては、洋美さんのイラストや描き文字を使っ
たものが目立ちます。その方法はいつ始めたんですか?

洋美: 美大予備校に通っているときはオイルペインティングや石膏デッサン
ももちろんやりました。でも全然面白くない。自分で描くならべった
り色を塗れるガッシュとかが好き。白黒はっきりする描き方の方がや
りやすかった。

充展: そういえば当時、TOMATOが好きって言っている割には、そうい
うデジタルな作風じゃないなと思っていたんだよ。今もそうだけど。

洋美: それは自分でもわかっていて、手で描く方が早いって思っているとこ
ろがあるんだよね。あるときからイラストの方に力が入り始めたのは、
実はグラフィックの中で文字を置く場所がわからなくなって、怖くて

置けなくなったんですよ。私はここに文字があると気持ちいいけれど、他の人はどうなのかが見えない。反対に多くのペインターたちのように、「これがいい」と自分の感覚を押し通せば良かったんですが強い心を持てなかった。それで、絵も文字も自分で描いて一枚に仕上げたものだと誰からも注意されないし、自分が作ったものだから「これ、いいじゃん」って強く言えたんです。

充展：なるほど。でもそれってとてもペインティング体質……（笑）。

洋美：だけど、ペインティングという意味が私にはちょっと違っていて。自分たちはファインアート寄りのグラフィックという位置にいるのかもしれないな。グラフィックにはいろいろあっていいんだよね、と思っています。

充展：Bobの初期はテキスタイルパターン的な仕事が多かったけれど、今は少し違っていて。グラフィックでも、タイポグラフィを使ったものが増えているのは確かです。僕たちがイラストレーション寄りのグラフィックのユニットだと認識されているんでしょうね。

——でもそういったクライアントワークを行いながら、自分たちの作品も作って発表するのは、アイデアやモチベーションの面で難しくないですか？

左：最初に構えた西日暮里のペントハウススタジオ。上左：2019年のMINI生誕60周年カーペイントの仕事。上右：2011年に西日暮里から移った恵比寿のアトリエ。

充展：僕は24時間そればかり考えているわけではないんです。たとえばフィルムがデータに入っていて、たまに思いついて開くと始まってしまう（笑）。その繰り返し。僕はそういうやり方です。今ちょうど、写真のプロジェクトがまとまりそうなので、プリントアウトし始めるところ。僕たちは写真家のスティーブン・ギルと付き合いがあって、それを1冊作って彼に送ろうと思っていて。この間何年振りかで会ったんですよ。彼を先生と呼んでいるくらい、僕は彼の写真にとても影響を受けたし、実はここ10年くらい、それのアンサー的なものを撮っていたなと気づいたんです。

洋美：ミツのパーソナルプロジェクトは仕事とかけ離れたものだから、全く違うことなんですよね。私は仕事と作品制作の線引きはほとんどありません。今Bobでやっているのも、彼が撮った写真の上に私が絵や字を書いたり、彼に何かベースを作ってもらってその上に私がオンしたり。それは話し合いながら作っているからBobのものだけど、それ以外の勝手にいたずら描きしているものは、私の作品になる感じ。

充展：先日も僕の撮った写真に彼女が描くという仕事で、何枚かは「これ

は何も描かない方がいい」と彼女が言って、結局写真だけというのも出てきた。それはクライアント的に大丈夫なのかなと思ったことがありました（笑）。予定調和じゃないから、そういうことも起きるんですよね。逆に、着地点を大前提に進めることもあります。たとえばマテリアルが面白いからと、そこから変形し始めてできあがる場合もあるけど、ここを目指すからどのマテリアルにするか、やり方はどうするかと考えるときもある。初期の頃はそれが混在していました。

洋美：でも、これまでは作品のプロジェクトを見た人が仕事を依頼してくれていたけど、最近プロジェクトを立ち上げていないから、そこは問題かな。

充展：今は子どもが、生きたビッグプロジェクトになっているからね。

洋美：シアター（2012年発表「MUSEUM in MUSEUM」展）を作って以来、作品をほとんど発表していない。2012年以降に作ったのはハンカチくらいかも。だからこの本（本書）を作ることは、今何をしなければいけないのかを、すごく考えるきっかけになりました。

左：レコードジャケットのようにハンカチを選んでもらいたい、というDAILY BOBのコンセプトを展示販売の方法で表現。上：車をラッピングした作品の制作風景。

——今一番興味のあることは何でしょう。

充展：アイルランドのコンセプチュアルアーティスト、マイケル・クレイグ＝マーティン。70年代に「ザ・オーク・トゥリー」という作品を発表して、興味があってよく見ていたんですが、今また自分の中でリバイバルしています。あと古い映画を見直していて、1920〜30年代から始まり、今は1940年〜50年代あたりです。

洋美：私は手描きじゃないグラフィックデザイン。最初に作ったギフトラップみたいな、線と形と色で構成するもの。原点回帰。しかも平面だけでなく立体でも表現したい。それと、今までは作りっぱなしだったので、改めてシアターとかを作品として残すために、スタジオでしっかり照明を組んだり、その延長で新たな作品を大掛かりなセットを組み立てたりして撮影したい。この本で実現させます。

——2人は夫婦であり仕事のパートナーでもあります。喧嘩はしますか？

洋美：もちろん。家でも仕事場でも一緒だし、子どもも出来ましたし。日々いろいろありますが、もう少し息抜きがしたいと思っていたタイミングで、好きな車関係の仕事の依頼がきて。今はそっちで羽を伸ばしている感じ。そもそも付き合い始めたときからずっと、私がワーワー言っていることを彼は全部飲み込んでくれています。だからいつかキレられるんじゃないかと恐れていて、もしそうなったら収拾がつかなくなると予言されているんですよ（笑）。かつて一度だけ、私がひどい暴言を吐いてかなりピンチに陥ったことがありましたけど。

充展：でも十何年も一緒にいて、たった一つのことだからね……。

——20年後のBob Foundationはこうなっていたい、という希望はありますか？

洋美：このまま面白いことをやって、あーだこーだと言っていたい。

充展：檜舞台に立って仕事をしてきたわけじゃないから、自分たちがいい
　　　なと思えるものをずっと作っていきたい。それしかない気がします。
　　　それで振り返ったときに「結構良いことやってんじゃないの？」ぐらい
　　　でいいのかなと。

洋美：絶対というのはきっとないから、要所要所で形を変えつつ何かを作っ
　　　ていく。

充展：あとカッコよく言うと、コピーされたい。「彼らのコンセプト、ノッて
　　　るから使わせてもらおうよ」っていう人が出てくるといいですね。ソ
　　　フトの部分はどんどん新しいものが出てくるけれど、背骨のところさ
　　　え自分たちでアップデートしていければ、パクられても平気。

洋美：パクられるってことは好かれているってことだしね。

充展：正しくパクってほしいし、どうせなら「えっ？ そんな使い方があるの？」
　　　と驚かせてほしい。そうするとみんなも面白いものが作れるし、僕ら
　　　もインスパイアされる。20年後にそうなっていたら楽しそうですね。

上：2014年、仕事の打ち合わせに初めて3人で出席。

BOB FOUNDATION

Bob Foundation is a creative design duo formed by Mitsunori and Hiromi Asakura. As a team, the two have been participating in various creative activities from artmaking, design, drawing, filmmaking, photography to writing. While Mitsunori mainly takes care of video production and concept development, Hiromi has been in charge of most of the illustration works they have done. There is a hint of influences from British culture and graffiti in their artwork. Also being a married couple with a son, the duo lets each other pursue his/her personal solo projects too.

Mitsunori Asakura was born in Tokyo. Movies like Permanent Vacation, Easy Rider and Night of the Living Dead wielded a measurable influence on him during his junior high school years. Filled with admiration for cinematographer Robby Müller, he decided to pursue a filmmaking career when he was at high school, and went on to a film college. Although starting to work in the movie industry while studying, he felt uncomfortable with the industry's old-fashioned nature and quit the job three years later. Mitsunori then traveled to the U.S. and studied there for half a year. After going back to Japan for a period, he moved to London to look for an art school to attend while learning English at a language school. He eventually enrolled at St. Martin's College of Art and Design, where he met Hiromi Suzuki after meeting her at the same school. Graduating with a Bachelors in Fine Art, Film and Video four years later, he returned to Japan and started living with Hiromi. They then began creating artwork together, while Mitsunori taught at a cram school for overseas art school applicants.

Born in Shizuoka Prefecture, Hiromi Asakura (née Suzuki) discovered the fun of drawing as a child and joined a painting class. She later went on to learn at an art cram school while studying at an integrated junior high and high school. Around that time, TOMATO, a graphic design collective based in

England, were her favorite artists. Hiromi then traveled to London with her mother during her high school years. Deeply impressed by the quality of public designs in the city, she made up her mind to apply to St. Martin's College of Art and Design and successfully enrolled in the college after graduation. Hiromi and Mitsunori then met each other there. Four years later, Hiromi graduated from the college with a Bachelors in Graphic Design and returned to Japan. She started to live and work with Mitsunori in his parents' house, while having a job at a design firm at the same time. After suffering from the harsh working environment There however, she left the company after three months.

In 2002, Mitsunori and Hiromi established Bob Foundation together to make and sell their textile products, while starting work on their book, Playful Kitchen – Home Party Recipe Book, in collaboration with Miki Morita. They then participated in TOKYO STYLE IN STOCKHOLM in 2004. Moving freely between fine art and graphic design, their artwork looks pop yet with the time-tested charm of analog designs. The couple works both as a team and independently, having been creating ingenious visual contents for cross-field projects in various forms from art direction, graphic design, videos to installations. In 2006, they started their own paper brand, Number62, and then published a book titled Bob Foundation's Wrapping Book in 2012 from Graphic-sha Publishing. Along with the business expansion of Number62 in 2015, they started producing handkerchiefs, mugs and other everyday items through their new brand DAILY BOB. In 2018, their picture book, Baguette San's Open Car, was published by Wakame-sha. Some of their major projects include the 20th anniversary event for Starbucks Japan (their artwork took over the company's first store in Japan), UNIQLO (their artwork took over the children's clothing section in the Ginza store) and art direction of the Christmas campaign for PLAZA.

Bob Foundation

朝倉充展、朝倉洋美によるクリエイティブデザイングループ。充展は映像やコンセプトワークを主に担当。それぞれの作品制作も行う2人は、プライベートでも夫婦であり一人息子の親でもある。お互いにロンドンのセントラル・セントマーチンズ・カレッジ・オブ・アート・アンド・デザインの学生として出会い、卒業後帰国。同居しながら作品制作し、2002年にBob Foundationをスタート。アートワーク、デザイン、ドローイング、映像、写真、テキスタイルなど、クリエイティブな世界で多岐にわたって活動している。2004年TOKYOSTYLE in StockholmにてCommunication展、2005年東京にてWrap it!展を開催。2006年にオリジナルの日用品ブランド「DAILY BOB」を立ち上げる。著書に『ボブファンデーションのラッピングブック』(グラフィック社)、絵本『バゲットさんのオープンカー』(若芽舎)など。主な仕事にスターバックスジャパン、ユニクロ、プラザなどがある。

THE POCKET ART SERIES
NUMBER FIVE

BOB FOUNDATION

2020年1月1日　初版発行

著者:	Bob Foundation
翻訳:	高津 文
デザイン:	小酒井祥悟　眞下拓人 (Siun)
ライター:	綿貫あかね
写真:	Bob Foundation　河野マルオ (P1,50-51, 64)
編集:	柴田隆寛　長嶋瑞木

発行人:	長嶋うつぎ
発行所:	株式会社オークラ出版
	〒153-0051 東京都目黒区上目黒 1-18-6 NMビル
	03-3792-2411 (営業部)
	03-3793-4939 (編集部)
	http://oakla.com/
印刷:	株式会社光邦

©2019 Bob Foundation
©2019 Oakla Publishing Co., Ltd.
Printed in Japan
ISBN: 978-4-7755-2904-1

AKATSUKI PRESS